An Clár Amanda

An Clár Amanda

le

Iarla Mac Aodha Bhuí

CLÓ MHAIGH EO

An Chéad Chló 2000
Iarla Mac Aodha Bhuí

ISBN 1 899922 08 3

Arna phriontáil ag:
Clódóirí Lurgan Teo., Indreabhán, Conamara, Co. na Gaillimhe

Do mo chlann

An Clár Amanda

Iarla Mac Aodha Bhuí

[Bronnadh duais ar an saothar seo ag
Oireachtas na Gaeilge 1998]

1.

Bhí buamaí peitril á gcaitheamh anois ag na
mic léinn. Sheas an líne póilíní lena gclogaid
mheánaoiseacha agus a sciatha trédhearcacha an
fód go daingean áfach, cartúis deorgháis á
gcaitheamh acu go tiubh. Bhí fuinneoga briste i
ngach siopa ar an tsráid, leaca an chasáin
á mbriseadh suas mar dhiúracáin agus á
gcaitheamh ar shraith dhobhogtha na bpóilíní.
D'fhan na tuairisceoirí ón iarthar siar go maith ón
chíréib agus tuairisc á tabhairt acu don domhan
mór lasmuigh. Bhí a fhios acu áfach nach mbeadh
mórán aird ag na daoine i Meiriceá Thuaidh ná

san Eoraip ar chlampar eile fós sa Chóiré, ach go mbeadh margadh don scéal sa tSeapáin agus san Astráil b'fhéidir.

Ní raibh ann ach gnátheachtra laethúil anois sa tír seo, mic léinn nó oibrithe a bheith in achrann leis na húdaráis de réir mar a bhí cearta an duine á gcur ar ceal de bharr na lagtrá san eacnamaíocht. Le dualgas a bhí na hiriseoirí anseo ach chomh maith le sin bhí scéalta cloiste acu faoi chóras nua cumarsáide a bheith ag na póilíní a chuir ar a gcumas comhoibriú dochreidte a thaispeáint, amhail is dá mbeadh aon intinn amháin acu uilig. Bhí sé sin le feiceáil anois sa dóigh a raibh siad ag gluaiseacht agus ag freagairt don ionsaí a bhí á dhéanamh orthu. Níor léir go raibh ordaithe á dtabhairt dóibh ach mheas na hiriseoirí go raibh glacadóirí raidió ina gclogaid acu. Ach níor scéal ar bith é sin. Bhí cáil an smachta ar mhuintir an oirthir riamh.

Thosaigh líne láir na bpóilíní ag cúlú faoin ionsaí, agus lig na mic léinn gáir bhuach. Bhrúcht siad chun tosaigh mar a bheadh tonn tuile agus na fir in éide ag druidim siar uathu go mear. Ba léir don lucht faire áfach go raibh bob á bhualadh ar na daoine óga, óir bhí póilíní anois ar an dá thaobh den slua mí-eagraithe agus smaichtíní á mbeartú acu. 'Féach sin,' arsa an grianghrafadóir

André ó AFP, 'tá na mic léinn i ngaiste. Doirtfear fuil agus brisfear cloigne anois.' Chuir sé lionsa níos faide ar a cheamara chun an t-ár a thaifeadadh go mion. Mhéadaigh an teannas sa ghrúpa iriseoirí a bhí ag faire ó bhalcóin os cionn na sráide. Bhí a leithéid seo feicthe cheana ag cuid acu agus ba léir orthu gur thaitin an foréigean leo, ba spórt é seo acu, na hÁisigh ag leadradh a chéile i ndeasghná a bunaíodh na blianta roimhe sin nuair a thosaigh an réabhlóid tionsclaíoch sa chuid seo den domhan.

Ghoill an radharc ar Chonall áfach. Ghlac sé leis an bpost sa chianoirthear le dúil sa taisteal agus i gcultúir choimhthíocha, ach b'fhearr leis gan a bheith sáite i gcíréib, fiú nuair nach raibh aon bhaol ann dó féin. Bhí sé de dhualgas air físeán leathuaire a chur abhaile chuig an stáisiún teilifíse gach seachtain agus theastaigh uaidh a chinntiú go mbeadh éagsúlacht ina chuid tuairisceoireachta, agus ar ndóigh go mbainfí úsáid as a chuid ábhair ar an nuacht. Dhírigh sé a cheamara ar an scata mac léinn a bhí ag déanamh ruathair isteach sa ghaiste, múisc ag teacht air agus é ag smaoineamh ar an ár a bheadh ann i gceann nóiméid nuair a bheadh an timpeallú déanta ag na péas. Bhí na fir in éide chomh heagraithe sin agus an smacht chomh soiléir orthu nach raibh seans ar bith ann go ndéanfaidís aon bhotún sa chath sráide seo. Mhothaigh Conall go raibh sé ag amharc ar bheartas míleata de chuid na seanRómhánach nó léigiúin na Súlú agus bhí sé cinnte de go ndéanfaí sléacht ar na daoine óga.

Bhí slua ag bailiú de réir mar a bhí an chiréib á teanntú ar an tsráid amháin, agus iad ag teacht níos gaire don aicsean nuair ba léir cad a bhí á dhéanamh ag na póilíní. Bhí cuid acu ag tógáil gártha molta d'fhórsaí an dlí, roinnt eile a raibh cuma na himní orthu.

Tháinig athrú tobann i ranganna smachtaithe na bpóilíní. Mar a bheadh siad uile faoi stiúir ag aon intinn amháin lig siad uathu a sciatha agus thiontaigh siad ó na hionsaitheoirí. Leag siad uathu a gcuid smaichtíní agus a gclogad ar an talamh agus thosaigh ag siúl ón láthair go réidh. Lean na mic léinn á n-ionsaí go cathréimeach ar feadh leathnóiméid agus fágadh go leor póilíní sínte ar an talamh. Ach nuair a thuig an slua cad a bhí ag tarlú chiúinigh sé. Lig na mic léinn uathu a gcuid uirlisí catha féin agus stán siad le hiontas ar fhórsaí an dlí ag imeacht uathu mar a bheadh tréad ainmhithe gan éirim, nó róbónna faoi threoir ag máistirchód.

Lig André mionn as le hiontas. 'Cad é sa

diabhal a tháinig orthu seo? Bhí na maistíní teanntaithe acu. Cén hiopnóis atá ar na péas gur bhailigh siad leo mar sin?'

'Ní barúil agam,' arsa Conall ag cur as a fhíscheamara. 'Scéal iontach é seo gan aon agó.'

2.

Ghliogáil Séamus ar an seoladh leictreonach. 'Bogearraí míorúilteacha.' B'iomaí ráiteas mórtasach a rinne lucht forbartha na mbogearraí agus chuile sheans go mbeadh an t-ábhar ag an seoladh seo chomh hamaideach is a bhí formhór an stuif a bhí ar fáil ar an idirlíon, ach ní ligfeadh an fhiosracht do Shéamus dul thairis gan triail a bhaint as. "Cumarsáid saor in aisce go síoraí" a mhaígh leathanach cinn an tsuímh a bhí sroichte aige. 'SAOR IN AISCE' i litreacha móra daite arís. 'Lean na treoracha thíos agus beidh ar do chumas teangmháil dhíreach a dhéanamh le duine ar bith is mian leat sa domhan fiú mura bhfuil an clár céanna acu — gan fón, gan ríomhaire, gan mhódam. Cumarsáid saor in aisce, cumarsáid láithreach. An clár is réabhlóidí i stair na cruinne! Cuir ort péire cluasán agus éist. Sin a bhfuil! Déan anois díreach é.'

Seafóid amach is amach. Ach mar sin féin cén dochar a dhéanfadh sé? Chuir Séamus na cluasáin air, péire den scoth a chaitheadh sé de ghnáth nuair a bhíodh cluichí fuilteacha á n-imirt aige ar an ríomhaire i gcoinne imreoirí eile ar fud an domhain. Ghliogáil sé ar an chnaipe 'TOSAIGH' nuair a bhí a chluasa clúdaithe aige. Chuaigh feadaíl íseal trína cheann ar feadh chúig soicind. 'RÉIDH' arsa an scáileán. 'Meas tú an ráiméis é seo? Múch do ríomhaire anois díreach agus bain triail as! Nuair atá an ríomhaire as smaoinigh ar AMANDA. Ní fhéadfadh a dhath a bheith níos simplí ná níos éifeachtaí. DÉAN ANOIS É!'

Scoir Séamus an clár cumarsáide agus mhúch an ríomhaire. 'Amanda,' ar sé os ard.

'Fáilte romhat a Shéamuis Uí Dhuibhir' arsa guth mná ina cheann. 'Ní bheidh gá agat a thuilleadh leis an treallamh costasach ríomhaireachta sin. Tig leat é a dhíol agus bronntanas breá a cheannach do do bhean Síle. Nach í a bhéas sásta! Ní gá duit bille gutháin a íoc go deo arís. Tá clár sárchumhachtach cumarsáide neadaithe i d'inchinn agus ní ghearrfar táille go deo ort ar a shon. Ní chloisfidh tú uaimse arís — ach cad faoi labhairt le do dhearthair óg atá sa Chóiré faoi láthair? Bain taitneamh as do bhronntanas!' Chuaigh íomhá de spéirbhean órga trína cheann agus í ag fágáil slán aige agus bhíog Séamus amhail is go raibh sé ag múscailt as dreas beag codlata.

Hiopnóis de chineál éigin a bhí ann níorbh fholáir, cleas beag amaideach a bhí ar bun ag duine éigin. Ach luadh ainm a mhná agus an dearthair sa Chóiré, Conall, a bhí curtha ansin ag stáisiún teilifíse chun tráchtaireacht a dhéanamh ar an chorraíl pholaitiúil a bhí ag dul in olcas le cúpla seachtain. Bhí ráflaí ann go raibh réabhlóid ar tí titim amach ansin. 'Tá súil agam go bhfuil tú slán, a Chonaill' arsa Séamus ina intinn. Smaoinigh sé ansin ar an mbaint a d'fhéadfadh a bheith idir an amaidí ar an ríomhaire agus a dheartháir sa Chóiré.

'Haló, Conall Ó Duibhir anseo.'

'Cad é? Cad dúirt tú?' Baineadh geit as Séamus arís agus guth a dhearthár le cloisteáil aige ina chluais mar a bheadh sé ar an nguthán.

'Haló, an tusa atá ann, a Shéamuis? Tá an líne seo go maith, an é go bhfuil deacracht ar do thaobhsa? Nach gasta a fuair tú an uimhir seo, níl mé sa chathair seo ach dhá lá. An raibh tú ag caint leis na boic sa stáisiún?'

Ní raibh a fhios ag Séamus cad ba cheart dó a rá. B'fhéidir gur mearbhall a bhí air agus nach raibh sé seo ag tarlú dáiríre ar chor ar bith. Dá gcuirfeadh sé ceist faoi na nithe a bhí ag tarlú sa Chóiré b'fhéidir go mbeadh nuacht ag Conall a bheadh sé ábalta a dhearbhú ar nuacht na teilifíse. B'annamh a bhac Séamus leis an teilifís ó thosaigh sé ag scimeáil ar an idirlíon agus ba bheag a spéis in aon rud ach nuatheicneolaíocht na faisnéise agus cluichí a imirt in aghaidh céilí comhraic ar fud an domhain.

'Fuair mé an uimhir ón stáisiún, sea,' ar seisean. 'Nach mbíonn an uimhir chéanna ar ghuthán póca cibé áit a bhíonn tú?'

'Bíonn, ach is ar ghuthán an tseomra codlata atá muid anois.'

'Ó, an é sin an uimhir a thug siad dom? Bhuel, cibé. Smaoinigh mé ar na rudaí atá ag tarlú amuigh ansin agus shíl mé gur cheart glaoch ort le fáil amach conas atá rudaí. Níl tú i gcontúirt, tá súil agam.'

'Tá mise ceart go leor. Ach tharla rud an-aisteach inniu. Feicfidh tú ar an nuacht é, cuirfidh mé geall. Tá sé ina raic anseo. Cúpla míle póilín curtha ar fionraí mar gur chaith siad uathu a sciatha agus a gclogad le linn círéibe agus gur chúlaigh siad ó láthair na troda. Is é an rud is aistí go raibh siad ag fáil an lámh in uachtar ar na mic léinn go furasta nuair a chúlaigh siad, agus ní thig le fear ar bith acu aon mhíniú a thabhairt ar a ngníomhartha. Tá gach cineál comhcheilge á shamhlú agus ráflaí áibhéileacha ag dul thart go bhfuil córas cumarsáide éigin cumtha a chuireann daoine faoi hiopnóis. Éist, caithfidh mise imeacht liom anois, tá orm tuairisc a chur le chéile. Bí ag faire ar an nuacht anocht!'

Baineadh stangadh as Séamus. Nach raibh anchosúlacht idir an méid a bhí á rá ag a dheartháir agus na nithe a bhí díreach tarlaithe dó féin! Ach bhí a fhios aige go maith nach cineál hiopnóise a bhí ann nó ní bheadh seans dá laghad ann go bhféadfadh hiopnóis a chur ar a chumas glaoch idirnáisiúnta a dhéanamh gan ach smaoineamh ar an duine a bhí thar lear. Tháinig scanradh anois air. Bhí dream éigin i ndiaidh athruithe a dhéanamh ina inchinn a chuir nithe iontacha ar a chumas, ach ba léir go raibh baol mór ann go raibh smacht faighte ag an dream céanna ar chuid de chomh maith agus chuaigh an eagla go smior ann ag cuimhneamh ar na himpleachtaí a bhain leis sin. Níorbh fhios cé a bhí ar a chúl ná cad iad na haidhmeanna a bhí acu.

Las sé an ríomhaire arís agus rinne iarracht teacht ar an suíomh as ar tháinig an cumas osnádúrtha cumarsáide. Ar feadh leathnóiméid bhí íocóin an chórais oibre ag teacht ar an scáileán, ach ansin tháinig pictiúir de bhean fhionn air agus labhair sí leis:

'Níl an ríomhaire ag teastáil uait níos mó, a Shéamuis, a stór. Cuir as é anois, maith an buachaill, agus díol é fad is atá luach éigin aige. Ní fada go mbeidh deireadh ar fad leis na ríomhairí deisce agus ní bheidh iontu ansin ach bruscar. Tapaidh an deis anois. Tá tú ar thús cadhnaíochta i ndomhan úr na faisnéise agus na cumarsáide gan teorainn. Nod duit sula n-imím: tig leat faisnéis ar bith is mian leat a fháil anois faoi na stocmhalartáin agus i dtaobh cúrsaí gnó. Nach leor nod don eolach? Bain leas as anois sula mbeidh na milliúin duine ar an eolas.'

Dhorchaigh an scáileán agus thost an diosca crua. Mhéadaigh ar scanradh Shéamuis. Bhí a intinn á léamh anois acu! Mhúch sé an ríomhaire agus las arís é. Ní dhearna sé an babhta seo ach cnead beag míshásta a ligean agus é féin a mhúchadh arís. Bheadh air dul go ríomhaire éigin eile chun an suíomh idirlín a lorg. Ach chomh luath agus a smaoinigh sé ar sin tháinig an frithsmaoineamh chuige go mbeadh a fhios acu cad a bhí ar intinn aige. Cur amú ama. Bhí sé i bponc i gceart anois, cosúil leis na póilíní mí-ádhmharacha sin sa Chóiré, ina sclábhaí ag dream anaithnid. Mhothaigh sé go raibh an domhan uile dubh, go raibh ualach mór trom titithe anuas ar a inchinn, agus ní raibh sé ábalta a dhath a dhéanamh ar feadh tamaill.

Ansin thosaigh sé ag smaoineamh ar an teachtaireacht dheireanach a fuair sé. Mhúscail an dóchas ann arís. Ar a laghad bheadh eolas aige faoi chúrsaí airgeadais nach mbeadh ar fáil go héasca ach ag na trádálaithe ba mhó ar domhan.

D'fhéadfadh sé míle ar a laghad a fháil ar an ríomhaire, cé go gcuirfeadh praghas mar sin isteach go mór air i ndiaidh a raibh caite aige ar chrua-earraí agus ar bhogearraí. Dhéanfadh sé sin bonn maith dá chuid infheistíochta agus nuair a bheadh roinnt airgid ceart aige b'fhéidir go mbeadh sé ar a chumas rud éigin a dhéanamh faoin instealladh a rinneadh ar a inchinn. Ach bheadh air é seo a dhéanamh go gasta. Má bhí sé féin nasctha leis an ngréasán nua míorúilteach d'fhéadfadh na céadta nó na mílte duine eile ar fud an domhain a bheith sa chás céanna, agus bheadh an tsaint á spreagadh agus i bhfad níos mó airgid ag a lán acu ná mar a bheadh aige féin. Chuir sé glaoch ar dhíoltóir ríomhairí a raibh go leor ceannaithe aige uaidh (ag baint úsáid as an nguthán) agus fuair amach go mbeadh an fear céanna sásta a ríomhaire a ghlacadh uaidh láithreach ar mhíle agus céad. Rinne Séamus roinnt argóna leis ionas nach mbeadh an iomarca amhrais air faoina dheifear chun díola ach ghlac sé le tairiscint de chéad punt eile agus thosaigh sé ag baint an ríomhaire as a chéile chun é a phacáil sa charr.

Chuir sé iontas air chomh héasca is a bhí sé dul i dteangmháil le stocbhróicéirí ar fud an domhain agus a fháil amach uathu cad iad na hinfheistíochtaí a bhí á ndéanamh acu. Níorbh aon ábhar iontais ar ndóigh go raibh stoc Chóiré ag titim go mear ach fuair sé amach go raibh ordú ollmhór ar scaireanna i gcomhlacht mianadóireachta á dhéanamh ag ciste pinsin sna Stáit Aontaithe. Dá mbeadh roinnt scaireanna aige roimh dheireadh an lae d'fhéadfadh sé brabús os cionn fiche faoin gcéad a dhéanamh ar maidin. Dheifrigh Séamus go dtí an siopa ríomhairí agus bhí a sheic faighte aige ag leath i ndiaidh a dó. Síos leis go dtí an banc agus d'iarr ar an mbainisteoir an míle dhá chéad a infheistiú dó láithreach sa chomhlacht mianadóireachta.

'Níl sé sin róchiallmhar, a Shéamuis,' arsa an bainisteoir leis. 'Molaim an spéis atá á chur agat san infheistíocht ach b'fhearr go mór portfolio meascaithe a chur le chéile. Tuigeann tú gur féidir le luach na scaireanna titim chomh maith le dul i méid.'

Ach mheabhraigh Séamus dó gurbh leis féin an t-airgead agus go raibh an-mhuinín aige as an rogha a bhí déanta aige.

'Ceart go leor. Ach ná habair liom i gceann míosa nár chuir mé fainic ort. Go n-éirí an t-ádh leat le do chéad infheistíocht. Beidh an-áthas orainn anseo cabhrú leat in aon infheistíocht eile atá ar siúl agat.'

Chuir Séamus glaoch ar an mbanc díreach agus é ag oscailt. Níor bhac sé leis an nguthán an babhta seo ach thug ordú don bhainisteoir na scaireanna a bhí ceannaithe aige an oíche roimhe sin a dhíol agus an brabús a infheistiú i gcomhlacht eile. Faoi thráthnóna bhí brabús seasca faoin gcéad déanta aige agus mhothaigh sé nár ghá plé leis an mbanc a thuilleadh. D'oscail sé cuntas le comhlacht stocbhróicéireachta agus bhí cúpla lá corraitheacha aige agus é ag cur lena stór go rábach.

Rinne sé dearmad ar feadh tamaill de rud ar bith eile agus a mhíle dhá chéad punt ag fás go fiche míle agus breis. Níor bhac sé le dul ag obair ach d'fhágadh sé an teach ag an am chéanna ar aon nós. Ba chuma cá raibh sé bhí sé i dteangmháil gan stró leis na margaí domhanda agus bhí sceitimíní air an t-am ar fad. Chonaic sé an t-airgead ag seoladh tríd na línte cumarsáide as gach cathair ar domhan agus a chuntas bainc féin ag méadú gan stró. Ní raibh sé ábalta codladh san oíche fiú, ach é ag faire ar dhíol agus ar cheannach i bhfad i gcéin. Ní fhéadfadh a bhean, Síle, fanacht dall ar an athrú a bhí air, agus cheistigh sí é maidin amháin sular éirigh siad:

'Bhí tú ag caint leat féin i rith na hoíche. Cad tá ag cur as duit?'

'Tada. Tá gach rud thar barr.'

'Ní fhéadfadh go bhfuil. Tá an chuma ort nár chodail tú ón Máirt. Cad a tharla don ríomhaire? An bhfuil fadhb éigin airgid agat, an raibh ort é a dhíol?'

Shuigh sí suas sa leaba agus d'amharc go haireach air. Thuig sé gurbh fhearr dó míniú éigin sásúil a thabhairt. Ní raibh sé riamh ábalta bréag a insint di.

'Níl aon rud cearr maidir le cúrsaí airgid ach a mhalairt ar fad, a thaiscí.' Rinne sé iarracht an bhéim a leagan ar an deascéala, ach bheadh sé seo deacair a mhíniú.

'Fuair mé clár nua ar an idirlíon a chuireann ar mo chumas eolas rúnda a fháil faoi na stocmhalartáin. Dhíol mé an ríomhaire chun tús a chur le mo chuid infheistíochta. Tá os cionn céad fiche míle punt gnóthaithe agam cheana féin.'

'Ach conas is féidir leat obair mar sin a dhéanamh gan an ríomhaire?'

'Ar an nguthán.'

'Ach ní bhíonn tú ar an nguthán riamh.'

'Is fíor sin, ach cuireann an clár seo ar mo chumas glaoch a chur gan ghuthán. Níl tuairim agam conas a oibríonn sé ach is féidir liom labhairt le duine ar bith ar domhan ach a ainm a bheith ar eolas agam.'

'Cén saghas asarlaíochta é seo? Nó an bhfuil tú ag magadh fúm? B'fhearr duit é seo a mhíniú dom nó beidh orm glaoch ar an dochtúir!'

Thug sé cuntas di ar ar tharla go dtí sin, agus sa chur síos air chuimhnigh sé ar an gcaint a bhí aige le Conall sa Chóiré agus ar an eagla a bhuail é dá bharr. Thuig Síle láithreach go raibh contúirt mhór ann, ach thuig sí rud eile fosta nár smaoinigh Séamus air ina chraos chun saibhris:

'An dtuigeann tusa nach mbeidh luach ar bith ag na scaireanna seo uilig nuair a bheidh eolas forleathan ar fáil faoi. Beidh níos mó daoine ag ceangailt leis an ngréasán aduain seo agus ní fada go dtuigfidh lucht na stocmhalartán cad tá ag tarlú. Cuirfidh sé seo deireadh le córas airgeadais an domhain ar fad má leathnaíonn sé amach. Bheadh sé níos fearr duit do chuid scaranna a dhíol fad is atá luach éigin acu nó beidh an tuairt is mó i stair an domhain sna margaí go luath!'

Ba léir dó go raibh an ceart aici agus thosaigh sé ag cuimhniú arís ar an smacht a d'fhéadfadh a bheith ag an gclár seo air féin agus ar na daoine eile a bhí ceangailte leis. Leanfadh sé ag imirt cluichí na stocmhalartán ar feadh seachtaine eile agus ansin cheannódh sé tithe nó talamh lena chuid brabúis.

Níor lig sé dá shamhlaíocht smaoineamh ar na

rudaí a d'fhéadfadh sé a dhéanamh ina dhiaidh sin. Ní raibh taithí ar bith aige ar an saibhreas ach bhí sé cinnte go mbainfeadh siad beirt taitneamh as.

3.

Bhí an Coirnéal Kim an-sásta leis féin agus é ag breathnú ar na hearrcaigh agus iad i mbun cleachtadh ar na ríomhairí. Bheadh trí scór eile de na póilíní óga faoina smacht nuair a bheadh an ceacht seo thart agus cúpla milliún eile ina chuntas. Bheadh an fórsa póilíneachta ar fad faoina smacht laistigh de chúpla mí ag an ráta seo, agus bheadh an t-arm ag teacht leis chomh maith de réir a chéile. D'amharc sé go sásta ar na fir agus na mná óga agus iad go dícheallach ag gliogáil, cluasáin orthu agus iad ag foghlaim faoin dlí agus a cur i bhfeidhm i bPoblacht Chóiré Theas. Bhain an Coirnéil taitneamh ar leith i gcónaí as na hearrcaigh a fheiceáil agus iad ag dul faoi chumhacht an chláir a cuireadh sna ríomhairí chun breis smachta a fháil orthu. Ní raibh deacracht dá laghad aige a chur ina luí ar na húdaráis go mbeadh an fórsa i bhfad níos éifeachtaí ach an 'clár oiliúna' seo a chur sna ríomhairí i gcoláiste na bpóilíní. Cruthaíodh éifeacht na hoiliúna seo cúpla uair ó shin nuair a d'éirigh leis an gCoirnéal círéibeanna a chur faoi chois ar bhealach a sháraigh éifeacht cháiliúil na tíre.

Bhí na céadta póilíní in ann obair mar neach

aonarach gan aon chuid den mhearbhall ná den mheascán is gnách ar ócáidí trioblóide. Bhí Kim ábalta suí ina oifig agus léargas iomlán a fháil ar gach a raibh ag tárlú, ordaithe a thabhairt d'aonad ar bith ba mhian leis ionas nach raibh duine amháin féin de na ceardchumannaithe nó de na mic léinn a shíl dúshlán an stáit a thabhairt ábalta teacht slán. Briseadh go leor cloigne agus fágadh neart fola ar na sráideanna agus bhí ceiliúradh in oifigí stáit. Ba léir nach mbeadh mórán fadhbanna smachta ann feasta.

Bheadh chuile rud i gceart murach na hiriseoirí sin ón Eoraip agus as an Astráil a rinne scéal mór den sléacht a rinneadh sa deisceart cúpla seachtain ó shin nuair a fágadh cúpla céad marbh ar na sráideanna. Ag léirsiú in aghaidh mhonarcha ceimicí a bhí na daoine, iad ag maíomh go raibh an t-uisce truallaithe agus a gcuid leanaí ag fáil bháis de ghalair uafásacha. A chead acu! Bhí a gcuid 'cánacha' íoctha ag na tionsclóirí leis na póilíní agus leis na húdaráis chuí agus bhí cead acu a rogha rud a dhéanamh. Ba dheas an lab airgid a bhí i gcuntas Eilbhéiseach ag Kim faoin am seo, bheadh sé ábalta éirí as an bpost seo amárach dá mba mhian leis, ach bhain sé an oiread sin taitnimh as an gcumhacht nach raibh rún aige éirí as go fóill. Chuireadh na brionglóidí a bhíodh aige faoin úsáid a d'fhéadfadh sé a bhaint as an smacht seo a bhí aige ar a chuid fórsaí sceitimíní dochreidte air. Bheadh a thír féin chun tosaigh ar an domhan ar fad, agus ní bheadh de rogha ag aon tír eile ach géilleadh dá chuid fórsaí dochloíte.

Bhris duine dá ghiollaí isteach ar a *reverie*.

'Drochscéala, a dhuine uasail. Chuaigh ár gcuid póilíní ó smacht le linn círéibe. Agus bhí an preas idirnáisiúnta i láthair!'

'Cad é seo atá á rá agat? D'imigh na póilíní ó smacht?'

'Chaill muid smacht orthu atá i gceist agam. Leag siad uatha a n-arm agus d'fhág siad an láthair. Tá cuid acu bailithe le chéile againn ach tá mearbhall an domhain orthu. Deir siad nach fios dóibh cad a tharla dóibh ar chor ar bith.'

Rith tonn tobann imní trí chnámh droma Kim. Ní raibh taithí dá laghad aige ar nithe a dhul ó smacht.

'Fadhb bheag éigin sna ríomhairí ní foláir,' ar seisean ag coinneáil smachta ar féin. 'Tarlaíonn a leithéid. Cuirfimid na teicneoirí ag obair air.'

Chuaigh sé chuig a mháistir-ríomhaire féin agus thosaigh ag fiosrú an scéil. Bhí sé róghlic chun glacadh leis an gcuireadh a tugadh dó ar an idirlíon úsáid a bhaint as an gclár 'míorúilteach' air féin ach lean sé leis an teangmháil ar an ríomhphost le cumadóirí an chláir. Rinneadh comhghairdeachas leis cheana faoin dóigh ar úsáid sé an clár chun éifeacht na bpóilíní a fheabhsú. Theastaigh uaidh a fháil amach anois cad a bhí ag tarlú. Chuir sé an cheist chuig an láithreán anaithnid.

'Maith thú a phóilín. Nach dtuigeann tú go mbíonn rud éigin le híoc i gcónaí cuma cad deirtear faoi earraí a bheith ar fáil saor in aisce. Má theastaíonn uait smacht a fháil arís ar do chuid fórsaí beidh coinníollacha áirithe le comhlíonadh agat. Ná bíodh imní ort. Ní theastaíonn uainn baint de do chuntais san Eilbhéis. Tig leat leanúint ort ag carnadh airgid chomh fada agus is mian leat. Rud eile atá uainn ach táimid cinnte go bhfuil an rud céanna uait féin. Chun go mbainfidh tú amach an rud atá uait – ceannas iomlán ar an gCóiré agus ceannasaíocht réigiúnda san Áis, nach é sin é? – ní mór don phobal muinín a chailliúint sa chóras polaitiúil atá ann cheana féin. Bí réidh do thamall beag den ainriail. Ná bíodh imní ort. Beidh ceannas agat ar do chuid péas arís go luath.'

Ní raibh aon ábhar sóláis sa teachtaireacht sin do Kim. B'amhlaidh gur mhéadaigh a imní, uamhan a tháinig air nuair a thuig sé go raibh sé ag freastal ar mhianta dhreama anaithnid agus nach raibh aon smacht aige i ndáiríre ar a chuid fórsaí. Ach níorbh fhiú dó cabhair a lorg ó aon duine. Bhrisfí as a phost é cinnte agus níorbh fhios cad a dhéanfaí leis na póilíní a d'fhreastal ar a chuid 'cúrsaí oiliúna'. Mheas sé go mb'fhearr dó fanacht ina thost agus súil a choinneáil ar na heachtraí a bhí le titim amach, cé gur mhothaigh sé ualach trom ar a ghuallaí agus é ag filleadh ar an teachtaire.

'Tá comhcheilg ar bun ach níl an locht ar na póilíní sin a chlis,' ar seisean 'tabhair aire mhaith dóibh nó beidh siad úsáideach arís. B'fhearr dúinn an dream a d'oil muid le mí anuas a choinneáil ina mbeairicí go ceann scaithimh. Cuirfidh mé fógra amach go mbeidh orthu dul faoi scrúdaithe. Beidh orainn dul i muinín na ngnáthphóilíní go dtí go mbeidh foinse na comhcheilge aimsithe agam. Ach go dtí sin coinnigh sna beairicí iad.'

Ba throm an croí a bhí ag an ceannaire póilíní. Thuig sé go raibh úsáid bainte as chun smacht a fháil ar fhórsa póilíneachta a thíre agus ba bheag an sólás dó go raibh sé i gceist ag an dream anaithnid cabhrú leis féin dul i gceannas na tíre. Ní bheadh ann ach seirbhíseach do dhream a raibh cumhacht dhochreidte acu agus ní raibh sé i gceist aige riamh a leithéid a cheadú. Ba chéimeanna ar dhréimire na cumhachta gach ardú céime a fuair sé ó chuaigh sé isteach sna póilíní cúig bliana fichead roimhe sin agus ba mar mháistir ar an Chóiré a chonaic sé é féin sna blianta beaga a bhí roimhe.

Bhí ábhar dóchais amháin aige áfach. Níor ghéill sé don chathú a tháinig air nuair a fuair sé amach den chéad uair faoin chlár ríomhaire seo. Ní raibh smacht dhíreach ag an dream seo air féin agus thug sin seans dó feidhmiú go neamhspleách orthu. Mhothaigh sé an t-ualach á bhogadh óna chroí agus é ag machnamh air seo. Bheadh an lá leis féin fós!

4.

Cuireadh iontas ar Chonall nuair a ghlaoigh Síle air. B'annamh a bhuail sé le bean a dhearthár agus ó bhí sé i dteangmháil le Séamus go rialta ní raibh aon ghnó aige a bheith ag comhrá lena bhean.

'Haigh, a Shíle, an bhfuil rud éigin cearr?'

'Tá, a Chonaill. Níl Séamus féin ábalta labhairt leat agus ní dóigh liom go mbeadh sé sábháilte dom fiú a rá leis go bhfuil mé ag glaoch ort mar gheall ar na rudaí atá ag tarlú. An bhfuil a fhios agat nár úsáid sé an guthán ar chor ar bith nuair a ghlaoigh sé ort an lá cheana?'

'Chuir sé iontas orm glaoch a fháil uaidh ceart go leor, ach cad é seo faoi ghlaoch gan ghuthán? An é go bhfuil clár ríomhaire faighte aige chun glaochanna a chur ar fud an domhain ar chostas ghlaoch áitiúil? Tá a fhios agam go bhfuil cláracha mar sin ann le cúpla bliain.'

'Ní hea. Ní rud chomh simplí sin é. Fuair sé clár éigin a chuireann ar a chumas cumarsáid a dhéanamh as a inchinn féin gan gléas ar bith. Agus tá eagla orainn anois go bhfuil dream éigin ag iarraidh daoine a chur faoi smacht leis an gclár ríomhaire seo. Má labhraíonn Séamus féin leat faoi, déarfainn go mbeidh an dream sin ar an eolas. Ceapann sé féin go bhfuil ceangal éigin idir an rud seo agus na círéibeanna aisteacha sin sa Chóiré agus b'fhéidir go mbeifeása ábalta cabhrú linn. An bhféadfá fiosrú a dhéanamh faoi na póilíní nó an mbeadh aon eolas ag do chairde sna meáin chumarsáide?'

'Tá sé sin scanrúil a Shíle. Cinnte tharla rudaí aisteacha sa tír seo le gairid. Bhí na póilíní ag feidhmiú cosúil le róbónna ar feadh cúpla seachtain agus ansin theip ar fad orthu, amhail is dá mbeadh cnaipí á mbrú ag duine éigin ar innealra. Scanraíonn sé seo mé, go háirithe nuair is cosúil nach bhfuil an chleasaíocht seo ag tarlú sa Chóiré amháin. An mbeifeá ábalta aon eolas eile a thabhairt dom? An bhfuil athrú ar bith tagtha ar iompar Shéamuis?'

'Tá. Caitheann sé a chuid ama ag infheistiú sna stocmhalartáin. Cearrbhachas atá ar siúl aige dáiríre nó bíonn sé ag díol is ag ceannach ó mhaidin go hoíche. Shíl mé ar dtús gur seachrán céille a bhí air go dtí gur thaispeán sé na cuntais dom. Tá luach na gcéadta míle punt de scaireanna aige anois agus ní raibh tada aige an mhí seo caite! Tá an-eagla orm faoi seo. Luíonn sé sa leaba ag caint le stocbhróicéirí ar fud an domhain agus gan ghuthán aige fiú! Tá comhcheilg chontúirteach éigin ar siúl, a Chonaill, agus ní mór dúinn eolas a fháil faoi. Cad a tharlóidh do chóras airgeadais an domhain má tá na mílte duine eile ar an eolas mar atá Séamus? Ní bheidh muinín ar bith ag éinne as an gcóras má bhíonn fáil ar an eolas rúnda ag an oiread sin. Agus cad tá i gceist ag an dream seo? An é an córas airgid is spéis leo nó an bhfuil cumhacht de chineál éigin uathu?'

'Níl a fhios agam. Fág liom é tamall agus ná habair a dhath le Séamus. Déanfaidh mé fiosrúcháin anseo. B'fhéidir go mbeadh póilín éigin ábalta rudaí a mhíniú. Seans gur cruthaíodh an clár ríomhaire seo sa Chóiré chun na fórsaí slándála a smachtú agus go bhfuair duine éigin eile eolas faoi agus go bhfuil siad á úsáid ar mhaithe leo féin. B'fhéidir nach bhfuil urchóid ar bith ann ach easpa freagrachta. Labhróidh mé leat arís nuair a bheith roinnt eolais agam.'

5.

Bhí sé deacair go leor do Chonall aon eolas a fháil. Níorbh aon iontas é gur bhain rúndacht le hobair na bpóilíní agus nach raibh duine ar bith ábalta a rá leis céard a bhí ag tarlú i ndáiríre sna fórsaí slándála i dtír nach raibh cáil na hoscailteachta riamh uirthi. Ba ábhar díospóireachta i measc an lucht nuachta ón iasacht a raibh ag tarlú, ar ndóigh, ach níor léir go raibh aon rud aisteach tugtha faoi deara ag éinne acu faoi tharlúintí aisteacha ar na stocmhalartáin. Ba chosúil go raibh rudaí socair go leor agus dá bhrí sin nach raibh mórán daoine ar nós Shéamuis faoi thionchar ag an gclár anaithnid ar ar thug sé AMANDA ina intinn. Ba mhór an faoiseamh an méid sin dó. Dúirt sé le Síle nach raibh baol ann d'infheistíochtaí Shéamuis go fóill ach gurbh fhearr a rá leis díriú láithreach ar thalamh nó foirgintí a cheannach leis an airgead a bhí déanta aige ná leanúint leis an gcearrbhachas. Bhí áthas air a chloisteáil uaithi go raibh Séamus ag glacadh leis an gcomhairle ón mbeirt acu.

Ba i mbeár sa phríomhchathair a tháinig sé ar leid faoina raibh ag tarlú. Baniriseoir ón Astráil a bhí ag cruthú go raibh ar a cumas an oiread a ól le fear ar bith. Ba mhór an t-ábhar iontais do fhir

Chóiré go mbeadh bean chomh dána sin agus chomh dúshlánach. Bhí triúr acu timpeall ar Jane nuair a tháinig Conall isteach sa bheár, iad ag brú na dí uirthi agus ise ag caint go dána leo ina dteanga féin. Chuir sí fáilte roimh Chonall ar theacht isteach sa bheár dó.

'Beidh mé ag caint leat ar ball,' a scairt sí leis. D'fhill sí ar an mbaothchaint le fir na gcultachaí agus lean uirthi ag ól na ndeochanna láidre a thairg siad di. D'ordaigh Conall béile beag dó féin agus rinne roinnt oibre ar a ríomhaire glúine, é ag smaoineamh i rith an ama ar cén fáth gur bheannaigh an bhean dó mar nach raibh sé dáiríre róchairdiúil léi ar chor ar bith. D'ith sé an rís le spúnóg i lámh amháin agus é ag déanamh ceartúcháin ar nótaí do chlár na maidine leis an lámh eile. De réir a chéile bhí sé ag díriú ar an obair gan aird ar an ngleo ina thimpeall.

'An bhfuil sé sin blasta?'

Chuir an bhean thoirtiúil a méar isteach ina mhias agus sciob léi cuid dá bhéile.

Jane a bhí ann, í éalaithe ón gcomhluadar.

'Tá scúp agam,' ar sise ar nós cuma liom. Níor chuir sin aon iontas ar an Éireannach. Bhí cáil ar Jane mar gheall ar na scéalta a chuir sí amach ón gCóiré le cúpla bliain anuas. Bhí teanga na tíre ar a toil aici agus tuiscint an-mhaith aici ar chultúr agus nósanna na ndaoine. Ní raibh sí tugtha do na preasócáidí ná do thuairisciú a dhéanamh ar na himeachtaí móra a thit amach ó lá go lá. Ba é barúil Chonaill gur chaith sí a cuid ama uilig sna tithe óil agus nach raibh ina cuid tuairiscí ach ráflaí gan bhunús, ach thug iriseoirí níos sine le fios dó go raibh Jane ar dhuine de na hiriseoirí ba iontaofa ar domhan. Bhíog sé mar sin nuair a labhair sí.

'Póilíní a bhí iontu sin,' ar sí. 'Fiú i ndiaidh dom cúig bliana déag a chaitheamh sa tír seo creideann siad gur féidir leo mé a chur ar deargmheisce agus nach dtuigfidh mé faic dá gcomhrá.'

'Agus cad é an ... an scéal mór seo?' arsa Conall.

'Fanfaidh tú ciúin faoi go fóill? Tá sé an-chontúirteach.'

Sméid Conall.

'Is fíor na scéalta faoi na póilíní a bheith faoi hiopnóis de chineál éigin. Tá cúrsaí oiliúna ar siúl ag ardoifigeach sa deisceart agus cuireann sé na hearcaigh faoi smacht le clár ríomhaire de shaghas éigin. Bhí ag éirí go breá leis ar feadh tamaill agus chuir sé na mílte póilín faoi smacht sna cúrsaí seo. Ach le gairid tá ag teip ar an gcóras agus tá na póilíní céanna bainte de na sráideanna ar fad. Chonaic tú féin na círéibeanna agus na póilíní ag cúlú. Meastar go bhfuil dream éigin taobh amuigh i gceannas air seo ar fad. Fan go bhfeice tú. Rachaidh an tír uilig as smacht go luath agus ansin feicfimid na póilíní ag fáil an lámh in uachtar arís go tobann. Tá sé ar intinn ag an Kim seo deachtóireacht a bhunú. Tá sé i gcomhar leis na tionsclóirí móra, rud nach gcuirfidh aon iontas ort. Cuireann seisean smacht ar an lucht oibre agus ar mhuintir na tuaithe agus déanann siad sin a saibhreas, agus a shaibhreas siúd chomh maith ar ndóigh. Deirtear gur ar an idirlíon a tháinig sé ar an gclár smachtaithe seo, agus thug duine de na hamadáin sin thall leid dom faoin seoladh atá ag an láithreán.'

'Tá sé seo an-spéisiúil ar fad,' arsa Conall. 'Ach tá suas le céad milliún láthair ar an ngréasán. Conas a bheimid ábalta teacht air'.

'Tabhair dom an ríomhaire beag sin agat nóiméad,' arsa Jane, ag tarraingt gutháin as a póca. Cheangail sí an fón leis an ríomhaire agus láinseáil sí meaisín cuardaigh. Lorg sí bogearraí cumarsáide faoin ainm Amanda agus d'fhan ar feadh leathnóiméad. Thuig Conall an tagairt do Amanda nó bhí sé luaite ag Síle. Rinne Jane roinnt cleasaíochta ar an luibheannchlár agus tháinig línte cóid ar an scáileán in ionad na ngnáthíomhánna a ghabhann leis an ngréasán domhanda. Thosaigh sí ag léamh go gasta agus thóg leabhar nótaí as a póca.

Scríobh sí cúpla líne cóid ina leabhar agus labhair sí go sásta.

'Tá sé agam anois ar sí,' agus chlóscríobh sí na línte céanna ar an meaisín cuardaigh. Tháinig an láithreán ar an scáileán.

'CUMARSÁID SAOR IN AISCE GO SÍORAÍ' a léigh siad. Mhúch Jane an ceangal láithreach sula raibh seans ag Conall aon rud eile a léamh.

'Tá sé seo contúirteach, mar adúirt mé leat,' ar sí. 'Má dhéanaimid teangmháil leis an láithreán ar chor ar bith beidh siad ábalta a aithint cé leis an ríomhaire agus an guthán atá á úsáid. Ach ó tharla nach raibh mo ghuthánsa ceangailte le do ríomhaire riamh cheana bheadh roinnt ama, b'fhéidir leathnóiméad ag teastáil chun muid a aithint. Ach féach seo.' Thaispeán sí a cuid nótaí do Chonall. 'Tá an láithreán suite i Singeapór. Beimid ábalta teacht orthu siúd atá ina bhun agus roinnt fiosrúcháin a dhéanamh fúthu.'

'Muid?'

'Sea, caithfidh tusa teacht chomh maith. Níl aithne ag duine ar bith ortsa go fóill ach tá droch-cháil ormsa ar fud na hÁise. Nach breá mar a shiúil tú isteach sa bheár ceart anocht?'

'Ní hé sin amháin é. Tá spéis phearsanta agamsa sa scéal seo.' D'inis Conall di faoina dheartháir agus ar tharla dó.

'Tá sé seo fíorspéisiúil,' arsa Jane.

'Ní fhéadfadh sé go bhfuil comhcheilg ar bun chun muid a thabhairt le chéile, an bhféadfadh? Ní fhéadfadh. Conas a tharlódh go dtiocfása isteach san áit seo díreach agus mé ag fáil an eolais faoi seo?'

'Déarfainn nach gá dúinn a bheith buartha faoi sin ar aon chaoi, ach tá greim acu ar mo dheartháir agus ní mór dúinn a bheith an-chúramach go deo. Beidh mé ábalta cuairt a thabhairt ar Shingeapór ar feadh cúpla lá ach caithfidh mé an clár teilifíse seo a chríochnú ar dtús. Déanfaidh mé iarracht roinnt eolais a fháil faoin gceannaire póilíní seo. Is dócha go bhfuil cuntais bhainc agus a leithéidí aige. Bheadh Séamus ábalta eolas a bhailiú air sin ach ní inseoidh mé dó go bhfuil aon bhaint aige lena chás féin. Más fíor adeir a bhean liom tá sé ar a chumas eolas a bhailiú ó aon ríomhaire atá ar líne ar domhan. Tig liom a rá leis go bhfuil scéal á dhéanamh againn faoi chaimiléireacht sna póilíní.'

'Bheadh sé i bhfad róchontúirteach,' arsa Jane, agus rinne Conall iontas de chomh stuama is a bhí sí in ainneoin an uisce beatha uile a bhí ólta aici. 'Má thuigim an scéal i gceart is féidir leis an dream seo monatóireacht a dhéanamh ar aon teangmháil a dhéanann Séamus. Mhúsclódh aon fhiosrúchán faoi chúrsaí Kim an t-amhras iontu agus ní fada go mbeadh a fhios acu go bhfuil tusa anseo sa Chóiré mar thuairisceoir. B'fhearr gan eolas ar bith a thabhairt do Shéamus nó fiú dá bhean go dtí go bhfaighimid bealach chun an smacht atá faighte acu air a chur ar ceal. Ní mór duit fiosrú faoi seo. An bhfuil aithne agat ar shaineolaithe nó ar dhuine a mbeadh aithne aige ar shaineolaí ríomhaire? Eolas an-speisialta atá i gceist anseo. Tabhair leat na nótaí seo, nó scríobh isteach i do ríomhaire iad. Bheadh an cód seo úsáideach do chláraitheoir ríomhaire agus b'fhéidir go mbeidis ábalta an láthair a thógaint as a chéile agus a iniúchadh. Tig linn dul go Singeapór nuair atá tú réidh. Abair Dé Luain seo chugainn?'

'Bheinn réidh faoi Luan ceart go leor. Ach níl a fhios agam cá bhfaighinn saineolaí ríomhaire a bhféadfainn brath air sa tír seo. Is é Séamus an saineolaí ar na cúrsaí seo agus de ghnáth dá mbeadh fiosrúchán mar seo ar bun agam chuirfinn ceist air siúd.'

'An bhfuil a shuíomh féin ar an idirlíon aige?

Bheadh nascanna ag a leithéid go daoine eile a bhfuil spéis acu sna gnóthaí céanna. B'fhiú duit é sin a thriail.'

D'iarr sí air a raibh fágtha ar a phláta a thabhairt di le hithe, rud a rinne sé le fonn. Ní raibh mórán de ghoile aige agus é ag smaoineamh ar an méid a bhí ráite ag Jane. Chóipeáil sé a cuid nótaí isteach ina ríomhaire glúine agus d'fhág sé slán aici.

6.

Mhúscail Séamus agus é ag cur allais. Bhí na híomhánna uafáis go fóill ina cheann, Péisteanna gan áireamh ag sníomh ina threo, ag iarraidh dul isteach ina inchinn trína shúile, trína shrón, trína chluasa agus trína bhéal... In ainneoin an allais bhí sé an-fhuar. Bhí Síle ina codladh go sámh taobh leis agus shleamhnaigh sé amach as an leaba go ciúin. Síos leis go dtí an seomra suite chun a ríomhaire a lasadh mar a dhéanadh sé oíche ar bith nach bhféadfadh sé codladh. Bhí mearbhall air ar feadh cúpla soicind nuair nach raibh aon ríomhaire ann roimhe. Chuimhnigh sé ansin ar na rudaí a bhí ag tarlú le cúpla seachtain agus thuig go raibh baint ag a thromluí leis an scéal. Bhí scanradh an domhain air go raibh dream anaithnid ag glacadh seilbh ar a intinn, ag snámh isteach ina cheann mar a bheadh péistíní agus ag neadú istigh ann. An raibh a fhios acu cad a bhí ina cheann anois díreach? An mbeadh sé níos fearr dó éirí as gach smaoineamh ar fad, glasra a dhéanamh de féin, lámh a chur ina bhás féin? B'fhearr leis é sin ná a bheith ina sclábhaí gan aon toil dá chuid féin.

Bheadh air bealach éigin a fháil chun éalú as seo. Le blianta anois ba ina ríomhaire a gheobhadh sé freagra ar gach ceist a bhí á chrá agus ba mhinic a bhí sé buíoch as an luas agus as an gcruinneas a bhí le fáil sa chibearspás agus an mothú go raibh sé páirteach i bhfoireann ollmhór domhanda a bhí ag leathnú an eolais agus na heolaíochta. Bhí na dosaein cairde aige ar fud an domhain anois a phléigh tógáil láithreán idirlín agus a leithéid leis, agus fadhbanna bunúsacha a bhain le ríomhaireacht agus cumarsáid na nuatheicneolaíochta. Ach conas a labhródh sé leo anois? Chuaigh sé amach as an teach agus chaith an chuid eile den oíche ag spaisteoireacht.

D'iarr sé ar Shíle dul go cibearchaifé ar maidin chun ainmneacha agus seolta na gcairde sin a lorg. Bhí súil aige go mbeadh sé ábalta teacht ar a seolta 'seilide' ionas go mbeadh sé ábalta a chruachás a chur in iúl gan eolas a thabhairt dá mháistrí. D'éirigh le Síle seoltaí thriúir a fháil. Bhí duine díobh, Wayne Mitchell, ina chónaí i dtuaisceart na hAstráile, mac léinn in institiúid i nDarwin a raibh an-chomhairle curtha aige ar Shéamus cheana faoin ngréasán domhanda agus a chuid rúndiamhra. Thug Séamus liosta ceisteanna do Shíle agus chuir sise glaoch ar an gcathair a bhí deich míle míle i gcéin. Ba dheacair di a chur ina luí ar an té a ghlac an teachtaireacht sa choláiste ansin go gcaithfeadh Wayne glaoch ar ais ar an

nguthán gan úsáid a bhaint as aon chlár
ríomhaire. Tháinig an glaoch ar ais ó Wayne ag a
ceathair ar maidin.

'Tá áthas orm a bheith ag caint leat i ndiaidh
dúinn a bheith i gcomhfhreagras le chéile le cúpla
bliain,' arsa Séamus, 'ach an bhfuil tú cinnte nach
bhfuil tú ag úsáid aon cheann de na cláracha seo
a ligeann duit glaoch aon áit sa domhan ar
chostas áitiúil? Má tá, scoir an ceangal seo
láithreach agus cuir glaoch ar ais ar mo chostas-
sa.'

'Ná bí buartha, is tú atá ag íoc as an nglaoch
seo. Tá gléas beag ceangailte le mo ghuthán agam
a chuireann an costas ar ais ar dhaoine a iarrann
orm scairteanna aisteacha mar seo a dhéanamh.
Ní mheasann tú go mbeadh mac léinn sásta cúpla
dollar sa nóiméad a chaitheamh ag caint le daoine
ar an taobh eile den domhan.'

'Múch é! Cuir glaoch ar ais orm agus íocfaidh
mise as,' arsa Séamus go práinneach. Chuir sé síos
an fón. Bhuail sé arís láithreach agus phioc sé suas
é.

'Tá súil agam nach bhfuil aon ghléas
ceangailte le do ghuthán anois agat,' ar seisean.
'Ní mór dúinn a bheith an-chúramach agus
inseoidh mé duit cén fáth. Tá scéal aisteach agam
duit faoi chúrsaí an ghréasáin agus déarfainn go

mbeadh an-spéis agat ann. Ach is rud an-chontúirteach atá ann agus ní mór duit a bheith an-chúramach faoi.' Lean Séamus ar aghaidh agus thug mionchuntas do Wayne ar na nithe a bhí ag tarlú dó féin.

Ligeadh fead ard na mílte míle i gcéin.

'Bhí mé ag rá i gcónaí gur mar seo a chríochnódh an fhorbairt ar ríomhairí. Cad tá san inchinn i ndeireadh thiar ach ríomhaire orgánach nach n-úsáideann an gnáthdhuine ach an fichiú cuid de? Féach, beidh orainn bualadh le chéile chun an scéal seo a chíoradh mar nach féidir a bheith cinnte nach bhfuil dream éigin ag éisteacht linn trí shaitilítí nó a leithéid. An mbeifeá ábalta dul chomh fada le Singeapór agus bualadh liom ansin? Ní bheadh sé róchostasach duit, an mbeadh?'

'Ná bíodh eagla ort faoi sin, tá mise in ann teacht ar an eitilt is saoire go háit ar bith ar domhan leis an gclár seo atá curtha i m'inchinn. Tá na mílte déanta agam cheana féin as na stocmhalartáin agus sin ceann de na nithe is mó a chuireann scanradh orm faoi seo uilig!'

Rinne an bheirt coinne don tseachtain dár gcionn.

7.

Fuair Síle glaoch ó Chonall.

'Abair leis an deartháir sin agam rud éigin úsáideach a dhéanamh leis na cumhachtaí iontacha sin atá anois aige. Tá ceannairí póilíní anseo sa Chóiré ag glacadh airgid ó thionsclóirí agus creidim go bhfuil baint aige lenár scéal féin. De réir na fianaise atá bailithe agam tá na milliúin infheistithe san Eilvéis aige. An mbeadh Séamus ábalta na sonraí a fháil fúthu agus an t-eolas a chur ar ais chugam?'

Thug sé ainmneacha na mbancanna agus na gcomhlachtaí a bhí luaite leis an oifigeach Kim do Shíle agus ní raibh moill uirthi sin an t-eolas a thabhairt do Shéamus. Cúig nóiméad ina dhiaidh sin chuir sí glaoch ar ais ar Chonall.

'Tá seasca cúig milliún dollar infheistithe ag Kim le ceithre chomhlucht i Zurich. Tháinig ardú an-tobann ar a chuid infheistíochta cúpla mí ó shin. Tá milliún sa mhí á íoc ag cuid de na comhlachtaí náisiúnta agus iolnáisiúnta is mó sa Chóiré leis.' D'ainmnigh sí na comhlachtaí agus fiú uimhreacha na seiceanna a scríobh siad chuig cuntais Kim. 'Beidh scúp agat anois a leagfaidh rialtas na tíre,' ar sí.

'Ach ní hé an póilín an t-imreoir is mó sa

chluiche seo. Ba bhreá liom dul ar an aer láithreach leis an eolas seo ach ní mór a bheith foighdeach. Tá mé ag dul go Singeapór ar an Luan chun tuilleadh fiosraithe a dhéanamh.'

'Nach iontach sin! Beidh Séamus ag dul ann ar an gCéadaoin! Tá sé le bualadh le cara leis chun an scéal seo a phlé. Beidh Wayne ann an lá dár gcionn sílim. D'fhéadfá cúrsaí a phlé leis siúd chomh maith.' Thug sí uimhir an Astrálaigh dó agus d'fhág slán aige. Ghlaoigh sí isteach ar Shéamus ón ngáirdín ansin. Bhí sé imithe amach ann ar eagla go gcloisfeadh sé aon chuid den chomhrá agus go mbeifí ábalta a intinn a léamh.

'Beidh Conall i Singeapór an tseachtain seo chugainn fosta. Is cosúil gur as an gcathair sin atá an láthair idirlín á reachtáil. Tá fiosrúchán ar bun aige féin agus baniriseoir Astrálach faoi na rudaí aisteacha a tharla do na póilíní le gairid agus tá sé cinnte go bhfuil an clár céanna a fuair tusa ar an ngréasán á úsáid chun na póilíní thall ansin a stiúradh.'

'Nach bhfuil sé seo uilig an-aisteach? Shílfeá go raibh comhcheilg éigin ar bun chun muid a thabhairt le chéile. Sílim go bhfaighidh mé pas nua dom féin sula dtéim ann — agus ainm nua,' arsa Séamus. 'Tá rud eile ba mhaith liom a dhéanamh chomh maith,' ar seisean agus meangadh mailíseach ar a bhéal.

'Cad é sin?'

'Fan go bhfeice tú!'

8.

Baineadh preab uafásach as Kim nuair a d'fhéach sé ar a chuntas sa Ghinéiv. In ionad céad míle dollar breise a bheith ann, ba ar éigean a bhí seasca dollar fágtha. Ba bheag nár phléasc sé. Bhí an cuntas ag fás go mear le sé mhí ó d'oscail sé é, íocaíochtaí ó chomhlachtaí éagsúla á lóisteáil go rialta mar luach saothair ar son a chuid oibre, ag réiteach an bhealaigh don tionsclaíocht. Chuaigh sé siar trí línte an bhancráitis ar an scáileán. Sea, rinneadh na híocaíochtaí ceart go leor, ach aréir rinneadh aistarraingt de dhá mhilliún agus seacht gcéad míle dollar. Isteach i gcuntas éigin eile a cuireadh an t-airgead. D'fhiosraigh sé an scéal láithreach leis an mbanc.

'Sea, b'shin an síntiús a thug tú do Chumann na Croise Deirge chun fóirithint ar dhílleachtaí i gCóiré Thuaidh' arsa an cléireach leis. 'Tá litir bhuíochais faighte againn cheana féin, ach mar a threoraigh tú níor thug muid d'ainm dóibh.' Chuir Kim a sheacht míle mallacht ar an gcailín bocht sa chathair cois locha i lár na hEorpa agus thosaigh sé ag fiosrú na gcuntas eile. Bhí an scéal mar an gcéanna leo uile. Ní raibh fágtha den seasca milliún a bhí carnaithe aige go dtí inné ach céad nócha seacht dollar. Thit an lug ar an lag air, ach ní raibh a ionad mar oifigeach cumhachtach sna póilíní bainte amach aige gan teacht aniar as an gnáth a bheith ann. Bhí sé cinnte go raibh bob á bhualadh air ag na boic sin i Singeapór ach bhí breall orthu má shíl siad amadán a dhéanamh den Choirnéal Kim.

9.

'Meas tú cad a bheas romhainn i Singeapór?' arsa Conall le Jane. Bhí siad ina suí san eitleán a bhí ag ullmhú le héirí san aer chun eitilt thar an tSín go dtína sprioc.

'N'fheadar. Caithfidh mé a rá go bhfuil mé imníoch go leor faoi seo ar fad,' a d'fhreagair sí. 'Amannta sílim go bhfuil muid dár dtreorú ar bhealach éigin, go bhfuil an dream is bun le seo ag iarraidh muid a thabhairt go Singeapór chun rud éigin a dhéanamh dóibh. Ní mór dúinn a bheith an-chúramach ar fad agus muid thall ansin. Ní bheidh mise ábalta dul thart i ngan fhios do na húdaráis ná d'aon dream eile nó tá aithne mhaith acu orm mar gheall ar mo chuid oibre. B'fhearr nach bhfeicfí le chéile mórán muid. Tá seanchara agamsa i gceann de na nuachtáin a thabharfaidh lóistín dom, ach beidh ortsa cur suas leis an Hilton! Ach caithfidh tú a bheith ar an airdeall chomh maith. Coinníonn póilíní Shingeapór súil ghéar ar eachtrannaigh, go háirithe orthu siúd atá ag obair sna meáin chumarsáide. Tig leat a bheith cinnte go bhfuil samplaí de do chuid oibre scrúdaithe cheana féin acu.'

Stad sí nuair a chiúinigh inneal an eitleáin go tobann. Ligeadh síos an doras os a gcomhair agus tháinig ceathrar fear isteach san eitleán faoi dheifir. Shuigh siad le chéile agus ba léir ón aire a thug na freastalaithe dóibh gur boic mhóra thábhachtacha iad. Shíl Conall gur saighdiúirí nó oifigigh airm as éide a bhí iontu. Bhí triúr acu sna fichidí agus cuma chrua aclaí orthu, an fear eile fiche bliain níos sine ná iad agus d'aithneofaí láithreach air go raibh sé i gceannas.

'Dia dár sábháil!' arsa Jane go ciúin. 'Féach cé tá ag taisteal linn.'

'Cé? É sin?'

'Sin é ár gCoirnéal Kim' ar sí agus sceitimíní ina glór. 'Tá sé seo ag éirí níos aistí agus níos aistí an t-am ar fad. B'fhearr dúinn fanacht as a radharc siúd ach súil ghéar a choinneáil air, nó más fíor na scéalta a chuala mé, déarfainn go bhfuil an boc sin ag triall ar an áit chéanna linn féin.'

D'ardaigh glór na n-inneal agus d'éirigh an t-eitleán san aer.

10.

'Fáilte go dtí an stát is glaine agus is lú coiriúlachta ar domhan,' arsa Jane agus an t-eitleán ag teacht anuas i dtreo na cathrach tar éis an turais fhada as Seoul.

'Níl tú rócheanúil ar an áit, déarfainn,' arsa Conall.

'Níl. Tá na póilíní ar fud na háite ag cur isteach ar gach rud a dhéanann daoine agus níl saoirse ar bith ag na meáin chumarsáide,' ar sí. 'B'fhearr dúinn scaradh ag an aerfort agus fanacht amach óna chéile ar feadh tamaill. Níl na húdaráis anseo rócheanúil ormsa. Tabhair aire do do dhearthair agus dá chara nuair a thagann siad. Déanfaidh mise teangmháil libh nuair a bheidh roinnt fiosrúchán déanta agam. Is féidir libhse an obair ríomhaireachta a dhéanamh agus an oiread eolais agus is féidir a bhailiú. Ba cheart go mbeadh mo chairde féin ábalta seoladh na ndaoine atá taobh thiar de seo uile a fháil amach dom gan mórán stró.'

'Déan iarracht bealach a fháil chun an clár AMANDA a bhaint as inchinn Shéamuis. Is cosúil go bhfuil an boc óg sin as Darwin an-eolach ar na cúrsaí seo agus go mbeidh sé ábalta cabhrú leat. Ach beidh muid ar an talamh go luath anois. Ar aghaidh leat go dtí an Hilton agus fan ar an mbeirt eile. Ná lig ort go bhfuil aon bhaint agat liomsa san aerfort nó tig leat a bheith cinnte de go mbeifear ag faire orainn an t-am ar fad.'

Níor labhair siad níos mó ná níor lig siad orthu go raibh aon spéis acu sa cheathrar póilín a bhí tamall thíos uathu. D'fhág siad slán ag a chéile nuair a thuirling siad den eitleán amhail is nach raibh ach cairdeas sealadach an turais eatarthu. Chuaigh Jane as amharc go mear, seantaithí aici ar aerfoirt agus gan aici ach mála gualainne mar bhagáiste. Ní dhearna Conall aon iarracht í a leanúint ach lean sé a comhairle agus bhailigh a mhálaí féin roimh dul chuig stad na mbus mar a fuair sé marcaíocht gan mhoill chuig a theach ósta.

Níor cuireadh isteach ná amach air agus é ag fágáil an aerfoirt. Mhínigh sé go raibh sé ag obair mar thuairisceoir teilifíse sa Chóiré agus gur tháinig sé go Singeapór ar saoire seachtaine. Glacadh lena scéal agus níor cuireadh mórán ceisteanna air. Mheas sé go raibh áibhéal á dhéanamh ag Jane faoi ródhíogras na bpóilíní sa chathair seo. Ní bheadh aon fhadhb leis na húdaráis dar leis ach b'fhearr dó a bheith san airdeall le dreamanna eile. Níor mhothaigh sé mar sin féin go raibh duine ar bith ag faire air sa teach

ósta mar ar chuir sé seomra do thriúr in áirithe.
Chaith sé lá ag spaisteoireacht timpeall na
cathrach agus ag déanamh iontas de
chomh saor is a bhí ríomhairí agus uirlisí
grianghrafadóireachta agus chomh daor is a bhí
beagnach gach rud eile. Chonacthas dó go raibh
an áit seo síochánta socair i gcomórtas leis an tír
a bhí fágtha aige, gach rud glan néata slachtmhar
agus gan aon rian den chorraíl ann a bhí le feiceáil
ar fud na hÁise le cúpla bliain anuas. Bhí daoine
ag dul chun oibre go ciúin dícheallach, bhí an
trácht bóthair féin módhúil múinte, póilíní in
éadach gan smál ag na crosbhóithre ag stiúradh
na gcarranna agus na bhfeithiclí eile go
héifeachtach.

D'fhill Conall ar an teach ósta le beart irisí
agus nuachtán agus chaith sé an oíche ag léamh
agus ag faire na teilifíse, é ag súil go mór le
bualadh lena dheartháir a bhí ag teacht isteach ar
eitilt ó Bhaile Átha Cliath ag a ceathair ar maidin.

11.

Ba léir do Shíle go raibh rud éigin cearr le Séamus. Bhí sí an-sásta go raibh airgead an phóilín úd aistrithe go cumainn charthanachta aige agus go mbeadh sé ag dul amach chun na hÁise chun bualadh lena dheartháir agus lena chara mar go mbeadh seans acu réiteach a fháil ar a fhadhb i gcomhar le chéile. Ach cé go raibh eagla áirithe uirthi ba léir nach mbeadh cabhair ar fáil go héasca ó aon aird eile. Bhí a iompar an-aisteach agus é ag dul go dtí an t-aerfort. Ní dhearna sé comhrá ar bith sa tacsaí. Mhothaigh sí go raibh a intinn dúnta aige, sciath chosanta in airde aige a rinne strainséar de. Ba mhór an t-athrú a bhí tagtha air ón tráthnóna roimhe sin nuair a d'inis sé di faoin gcleas a d'imir sé leis na cuntais bhainc. Bhí sé an-sásta   leis féin agus é ag súil go mbeadh sé féin agus an bheirt eile ábalta bob a bhualadh ar chruthaitheoirí an chlár AMANDA go luath i Singeapór.

Bhí sé ag taisteal faoin ainm Greg Bodkin, an pas nua a bhailigh sí dó ar maidin ina sheilbh aige, agus cárta creidmheasa óir chun íoc as aon rud a bheadh ag teastáil uaidh ar a thuras. Ach ar bhealach, mhothaigh a bhean go raibh duine eile déanta aige de féin, go raibh strainséar ag fágáil slán léi go grod ag an aerfort agus ag triall ar an eitleán. Chas sí abhaile go buartha agus gan fhios aici cad ba cheart di a dhéanamh.

Rinne sí iarracht a chur ina luí uirthi féin nach raibh ann ach go raibh imní ag teacht ar Shéamus, teannas ann mar gheall ar ábhar a thurais. Ach bhí an t-athrú rómhór, amhail is dá mbeadh a charachtar athraithe ar fad, gurb é Greg Bodkin dáiríre, bainisteoir ríomhairí, a bhí imithe ar an eitleán sin seachas Séamus ó Duibhir, iarmhúinteoir scoile. Bhí a fhios aici i gcónaí go raibh baol sa chlár ríomhaire sin. Arbh fhéidir go raibh an dream anaithnid a chum é tar éis smacht a fháil ar Shéamus? Bhuail scanradh an bhean agus chuaigh sí ag lorg teileafóin. Níor éirigh léi teacht ar Chonall san Hilton i Singeapór. Bhí sé imithe as a sheomra arsa an fáilteoir léi, ach d'fhágfaí teachtaireacht ina sheomra. Dheifrigh Síle abhaile agus í ag súil nach fada go mbeadh seans aici fainic a chur ar Chonall faoi Shéamus.

12.

A dó a chlog ar maidin. D'éirigh Conall as a chathaoir agus mhúch an teilifís. Bhí sé bréan den scannán *kung-fu* as Hong Cong agus shíl sé gurbh fhearr dó dul chuig an aerfort chun bualadh le Séamus. Chuaigh sé chuig an mbord chun gloine uisce a dhoirteadh amach dó féin. Bhí clúdach beag geal ansin le mana an óstáin air agus a ainm scríofa air. Léigh sé an nóta. Ní raibh ann ach uimhir Shéamuis sa bhaile. Arbh amhlaidh nach raibh sé ag teacht, go raibh moill éigin curtha air? Chuir Conall glaoch ach ní raibh aon fhreagra le fáil. Bheadh sé tar éis an mheánlae in Éirinn anois agus bheadh Síle ag obair. N'fheadar cá raibh Séamus nó cad chuige nach raibh an ríomhaire ag feidhmiú mar ghléas freagartha aige? Chuimhnigh Conall air ansin go raibh a ríomhaire díolta ag Séamus ó bhí ar a chumas teangmháil a dhéanamh leis an domhan iomlán gan fón anois. Bhuel, ní raibh aon rogha aige ach dul go dtí an t-aerfort agus faire amach dá dheartháir. Amach leis.

Ba sheo anois ag teacht é. Shiúil Séamus amach ó ionad bailithe an bhagáiste. Scairt Conall amach air ach níor chuala sé é. Rith Conall ina threo.

'Fáilte romhat go Singeapór,' ar sé lena dheartháir. Ach níor fhéach Séamus air fiú. Lean sé ar aghaidh díreach thairis gan bheannacht, cás beag trom ina lámh agus dreach dúr fuar ar a éadan. Lean Conall amach é le hiontas. 'Haigh, a Shéamuis. Cad tá cearr? Nach n-aithníonn tú mé?' Isteach le Séamus i dtacsaí agus as radharc leis. Chuaigh Conall isteach i bhfoirgneamh an aerfoirt arís agus chuir glaoch eile ar uimhir bhaile Shéamuis. B'fhéidir go mbeadh míniú ag Síle ar an iompar aisteach seo. Bhí sí sa bhaile an babhta seo. Mhínigh sé di cad a tharla.

'Bhí sé chomh haisteach céanna inné agus é ag dul amach,' arsa Síle. 'Shílfeá gur duine eile ar fad a bhí ann. Fuair sé pas bréige agus roinnt trealamh leictreonach ach ní raibh mé ábalta aon chaint a bhaint as. Ní bheadh aon iontas orm dá mbeadh lucht AMANDA tar éis dul i gceannas air. B'fhearr duit a bheith an-chúramach. Tá súil le Dia agam go mbeidh tú féin agus Jane nó Wayne ábalta rud éigin a dhéanamh faoi sula ndéanfaidh sé dochar. Rachaidh mé féin amach chomh luath agus a bheidh pas agam agus na cáipéisí eile.' Shíl Conall gurbh fhearr di fanacht mar a raibh sí ach theip air a chur ina luí uirthi gur cheart di fanacht sa bhaile. Bheadh an eitilt as Darwin istigh i gceann cúpla uair an chloig. Ar ais leis go dtí an teach ósta le súil go mbeadh teachtaireacht ann ó Jane ach ní raibh tada ann. Tar éis béile chuaigh sé ar ais chuig an aerfort.

13.

D'aithin sé an tAstrálach láithreach. Fear óg ard griandaite le gruaig a bhí beagán rófhada do lucht na hinimirce. Chuir na hoifigigh iachall air cuairt a thabhairt ar an mbearrbóir sular ligeadh dó dul amach sa chathair, ach ghlac sé go humhal lena n-ordaithe agus níor chuir siad isteach níos mó air.

'Is dócha gur tusa Wayne,' arsa Conall leis nuair a tháinig sé amach sa bhforhalla agus é bearrtha mar a bheadh saighdiúir. 'Is mise Conall, deartháir Shéamuis. Tá fadhb againn le Séamus ach labhróidh mé leat faoi san óstán. Beir leat do chuid bagáiste agus gheobhaimid tacsaí.'

Mhínigh Conall don Astrálach conas mar a shiúil Séamus thairis gan beannú dó fiú. 'Meas tú an bhfuil smacht ag lucht AMANDA air? Tá Síle den tuairim go bhfuil a phearsanacht athraithe ar fad.'

'D'fhéadfadh go bhfuil,' a d'fhreagair Wayne. Bhí an teilifís agus dhá raidió ar siúl acu le súil go gcuirfí as d'aon ghléasra leictreonach a bheadh ag cúléisteacht leo sa seomra. Bhí roinnt giúirléidí le Wayne chun a leithéid a fháil amach ach theip orthu aon ghléas cúléisteachta a aimsiú. Mar sin féin, shíl an bheirt acu gur ghá a bheith an-chúramach. Thuig siad níos mó ná riamh go raibh siad i gcoimhlint le dream a bhí thar a bheith cliste agus cumhachtach.

'Féach cad tá tarlaithe. Tá Séamus agus an Coirnéal Kim tugtha go Singeapór ag an am céanna agus is ar éigean gur comhtharlú é go bhfuil tusa anseo chomh maith. Ach ní bheadh aon duine ag súil go mbeinnse anseo. Tugann sé sin buntáiste beag dúinn. Ní mór dúinn teacht ar Shéamus gan mhoill. Bhí mé ag obair ar bhealach chun an clár AMANDA a ghlanadh as a cheann le cúpla lá anuas ach ní mór dúinn é a bhreith anseo go ciúin agus dul ag obair air. Cá bhfuil an Jane sin nuair atá sí ag teastáil? Ba chóir go mbeadh sí ábalta cabhrú linn teacht air.'

'Dúirt sí go gcuirfeadh sí scairt orm ach níor chuala mé a dhath. Ach bhí mé amuigh cuid mhaith den am is dócha. Fiosróidh mé leis an deasc thíos staighre.'

Ní raibh aon teachtaireacht dóibh ag an deasc ach nuair a bhí an dinnéar á ithe acu timpeall a hocht a chlog sa tráthnóna d'fhág freastalaí clúdach beag bán ar an mbord. Ní raibh laistigh de ach cárta le ainm agus seoladh tábhairne nach raibh rófhada ón óstán.

'Sin Jane cinnte,' arsa Conall. Chríochnaigh siad a mbéile go mear agus amach leo ar an tsráid.

Arís, rinne Conall iontas de chomh ciúin ordúil is a bhí gach rud fiú go mall sa tráthnóna nuair a bheadh sluaite spleodracha ar a mbealach amach chun ragairne i gcathracha sa bhaile nó sa Chóiré. Ní raibh an tábhairne ach cúpla céad méadar ón óstán. Isteach leo i sólann dhorcha phlódaithe mar a raibh eachtrannaigh den uile chineál i mbun siamsaíochta. Bhí Jane in aice an chúntair, gloine uisce beatha aici agus í i mbun comhrá aerach le cúpla Seapánach.

Fuair siad amach uaithi cá raibh an Coirnéal Kim ar lóistín, agus go raibh strainséar darbh ainm Greg Bodkin tagtha go dtí an teach ósta céanna tamall gearr ó shin, fear ar cuireadh suntas ann mar gheall ar a iompar aisteach róbótúil, a thug le fios don lucht faire go raibh sé faoi thionchar AMANDA. Síleadh ar dtús gur póilín eile de chuid Kim a bhí ann murach gur léir gur Eorpach é agus nach raibh focal Sínise ná Cóiréise aige nuair a beannaíodh dó sna teangacha sin.

'Séamus atá ann!' arsa Conall. Thug sé cuntas do Jane ar ar tharla dó ó mhaidin agus chuir Wayne in aithne di.

14.

D'oscail Greg Bodkin a chás beag agus bhain gléas leictreonach as. Cheangail sé leis an teileafón é agus amach leis as an seomra leapa arís, a mhála taistil crochta as a ghualainn agus é ag siúl síos staighre. D'ordaigh sé deoch sa bheár agus shuigh leis féin in aice an dorais á ól. Bheadh air an áit a fhágáil go mear nuair a bhí a ghnó déanta aige. Thosaigh sé ag smaoineamh ar an Coirnéal Kim a bhí ar an tríú urlár lena ghardaí slándála.

'Haló?'

Guth dúr phóilín a d'fhreagair an guthán sa seomra thuas.

'Ba mhaith liom labhairt leis an gCoirnéal le do thoil. Is mise Karl Junger as Banc Creidmheasa na Ginéive. Tá ceist phráinneach agam le plé leis an gCoirnéal maidir lena chuntas infheistíochta.' Bhí cuntas amháin de chuid Kim nár baineadh dó, agus bhí a fhios ag Bodkin go mbeadh an-spéis ag an gCoirnéal ina chuid infheistíochta nuair a bhí an oiread sin glanta as gach cuntas eile dá chuid. Chuala sé guth Kim.

'Éist go cúramach, a Choirnéil. Tá teachtaireacht ríthábhachtach agam duit.' I seomra Bhodkin thosaigh an meaisín a bhí ceangailte leis an bhfón ag crónán, crónán íseal domhain a chuaigh i dtreise go dtí gur cuireadh múisc ar lánúin sa seomra béal dorais. Bhris Bodkin an ceangal le seomra an Choirnéil... agus bhí Séamus ina shuí agus mearbhall air in aice le doras tí ósta, gan a fhios aige cá raibh sé. Bhí Sínigh ar fud na háite agus a dteanga féin á labhairt acu, agus mhothaigh sé go raibh an áit i bhfad níos teo ná a bhaile féin. Ach ní raibh deis aige smaoineamh ar an áit ina raibh sé mar gheall ar an rírá a bhí ann. Thosaigh corraíl thobann ar an bpointe, fir shlándála ag glaoch go hard i Sínis agus ag rith i dtreo an ardaitheora. D'éirigh Séamus as a chathaoir agus rug ar a mhála taistil. Cibé rud a bhí ag tarlú níor theastaigh uaidh aon cheist a fhreagairt mar nach mbeadh freagraí aige. Amach as an teach ósta leis agus é ag iarraidh an timpeallacht ina raibh sé a aithint. Stop tacsaí os a chomhair agus léim beirt fhear amach as.

'A Chonaill, céard — ?'

'Tar linn go beo. Ar aghaidh linn,' arsa Conall leis an tiománaí.

Rug siad air agus bhrúigh isteach sa tacsaí é. Bhí bean istigh ann cheana féin nár aithin sé. Sádh biorán ina sciathán sula raibh sé ábalta focal eile a rá agus thit néal trom codlata air.

Chuaigh an carr ar aghaidh ar ardluas.

15.

D'fhair Conall obair an Astrálaigh go hamhrasach. Bhí leictreoidí beaga ceangailte le blaosc Shéamuis agus Wayne ag obair go dícheallach ar mhéarchlár a ríomhaire glúine. Bhí Séamus sínte ar leaba i seomra Chonaill, é ina chodladh anois le breis is uair a chloig, agus Wayne ag scanáil a inchinn. B'fhadálach an obair í, ach bhí taithí ag Wayne ar a leithéid mar chuid den staidéar san ollscoil, áit a raibh mapáil leictreonach á dhéanamh ar inchinn agus ar chóras néaróga an duine mar chuid de thionsnamh taighde ar mheabhair shaorga. Bhí an clár ríomhaire ag cuardach gréasáin neamhghnácha i gcóras cumarsáide na hinchinne ar nós córas frithvíoras ar an ríomhaire féin. 'D'fhéadfá fiche nóiméad a chaitheamh ag dul trí dhiosca crua ríomhaire ar thóir víorais,' arsa Wayne. 'Tá inchinn an duine na mílte uair níos mó agus níos casta ná diosca trí ghígeaghiotán ar ríomhaire glúine. Ach tiocfaimid ar an rud atá uainn.' Lean sé air ag faire ar an scáileán beag.

Las Jane an teilifís. Bhí sé in am nuachta agus ní fhéadfadh seanfhondúir de chuid na meán mar í an deis a chailliúint.

'Féachaigí é seo!' a scairt sí leis an mbeirt eile. 'Sin é an teach ósta ina raibh Séamus.' D'fhair an triúr an teilifís mar a raibh pictiúirí den óstán agus póilíní isteach is amach as, cúpla otharcharr lena soilse ag drithliú ag an doras, saighdiúirí armtha ar garda ar an tsráid. Bhí tuairisceoir mná ag labhairt go práinneach i Sínis. D'éist Jane go haireach agus thosaigh sí ag aistriú.

'Níl aon tuairim go fóill ag na húdaráis slándála faoin bpléasc a mharaigh ceathrar póilín de chuid Phoblacht Chóiré anseo uair an chloig ó shin. Deir aíonna sa teach ósta gur chualathas crónán cumhachtach a chuir múisc ar chúpla duine. Tháinig na póilíní ar ghléas leictreonach i gceann de na seomraí leapa agus táthar á scrúdú i láthair na huaire. Níl na húdaráis sásta a dhearbhú ná a shéanadh gur gaireas cianmhadhmaithe atá ann. Tá fiosrúcháin á ndéanamh faoi láthair maidir lena raibh ar siúl ag na póilíní Cóiréacha i Singeapór ach níl aon eolas ar fáil faoi sin go fóill.'

Baineadh stangadh as an triúr agus thiontaigh siad i dtreo na leapa mar a raibh Séamus ina chodladh go sámh i gcónaí. Ní raibh focal as duine ar bith díobh agus baineadh preab eile astu nuair a tháinig gíog as an ríomhaire.

'Tá sé aimsithe againn!' arsa Wayne ag díriú

méire i dtreo na léaráide den inchinn a bhí ar an
scáileán beag. 'Caithfidh muid an clár atá
neadaithe anseo a ghlanadh amach agus beidh
Séamus i gceart arís.' Cúpla nóiméad a thóg sé ar
an ríomhaire an clár AMANDA a dhíothú. Fad is
a bhí siad ag fanacht ar Shéamus teacht chuige
féin phléigh siad an scéal.

'Bhí an ceart agam nuair a dúirt mé go raibh
muid dár dtabhairt anseo d'aon ghnó cé nár
chreid mé i ndáiríre é,' arsa Jane.

'N'fheadar,' arsa Conall. 'Is léir go raibh
Séamus faoi stiúir i rith an ama agus gur
theastaigh ó lucht AMANDA é a úsáid chun an
Coirnéal Kim a mharú. Ach cén t-eolas a bheadh
acu fúinne?'

'Nach cuimhin leat go raibh Séamus ag caint
leat díreach tar éis dó an clár a fháil, agus gur
spreagadh é chun glaoch ort chomh luath is a
luchtáil sé é?'

Labhair Wayne go han-sollúnta.

'Más fíor sin caithfimid an áit seo a fhágáil go
beo. Is fínnéithe muid agus d'fhéadfadh cibé duine
atá freagrach as seo teacht sa tóir orainn — ach
déarfainn nach eol dóibh go bhfuil mise ann ar
chor ar bith. Fágaimis an áit seo láithreach. Jane,
beidh tusa ábalta dídean a fháil dúinn nach
mbeidh? A Shéamuis,' ar seisean, ag craitheadh an

fhir sa leaba, 'múscail, a mhac. Caithfimid bogadh.'

Faoi dheireadh d'oscail Séamus a shúile.

Stán sé. Ní raibh aithne súl aige ar Wayne agus tháinig scanradh air. Ach labhair Conall leis agus chuir sé an bheirt eile in aithne dó. 'Níl am againn aon rud a mhíniú anois,' ar sé. Chuir sé glaoch ar an deasc le haghaidh tacsaí agus chabhraigh sé lena dheartháir dul go dtí an t-ardaitheoir.

Thosaigh an guthán ag bualadh agus iad ag imeacht as an seomra. Chuir Jane amach a lámh chun é a fhreagairt.

'Ná bac leis!' a scairt Conall. 'Níl siad ach ag iarraidh a fháil amach an bhfuil muid anseo.'

Dheifrigh siad leo amach as an óstán agus isteach sa tacsaí a bhí ag feitheamh leo. Thug Jane treoracha go mear don tiománaí agus thóg sé bóthar an tuaiscirt air féin. Níorbh fhada go raibh siad i sráidbhaile beag in aice le teorainn na Maláise, áit a bhí an-difriúil ón gcathair niamhghlan nua-aimseartha cois na farraige. Ba anseo a bhí cairde Jane, iriseoirí a bhí báúil leo siúd a bhí ag éileamh breis cearta daonna. Cuireadh fáilte rompu agus folaíodh i seanteach iad. Chuaigh Jane chuig an teilifís láithreach. Bhí scéal eile ann faoi phléasc in óstán. An uair seo maraíodh glantóir nuair a d'fhreagair sí an teileafón. D'aithin siad ainm an tí ósta.

'An fón ar ndóigh,' arsa Wayne. 'Tá tonn fuaime á chur tríd an teileafón a scriosann an inchinn! An dtuigeann tusa cad tá ag tarlú anois a Shéamuis nó an bhfuil cuimhne ar bith agat ar ar tharla duit ó tháinig tú anseo?'

Ach ní raibh barúil ag Séamus. Ní raibh cuimhne aige fiú ar an gclár AMANDA a fháil as a ríomhaire agus bhí iontas an domhain air nuair a eachtraíodh dó faoinar tharla le cúpla lá anuas. D'iarr sé a ghuthán póca ar Chonall agus chuir sé glaoch abhaile. Ní raibh Síle ansin ach athraíodh an glaoch go huimhir eile. Bhí iontas air go raibh guthán póca faighte aici ach ba mhó a iontas nuair a d'fhreagair sí é.

'Tá mé ar an eitleán go Singeapór chun a fháil amach cad tá ag tarlú,' ar sí. 'Beidh mé san aerfort timpeall a hocht tráthnóna.' D'inis sí dó faoin iompar aisteach a bhí faoi agus é ag fágáil slán aici, agus thagair sí don chás beag a bhí leis a raibh gléasra leictreonach ann.

'B'shin an gléas fuaime a úsáideadh chun Kim a mharú,' arsa Conall. 'Rachaidh mise chuig an aerfort chun bualadh léi. Ach cad a dhéanfaimid faoi AMANDA anois?'

'Leis an méid a tharla ó thuirling mé anseo ní raibh mé ábalta a insint duit gur éirigh liom foinse na dteachtaireachtaí a aimsiú,' arsa Jane. 'D'éirigh le mo chairde anseo ainm agus seoladh a nascadh leis an seoladh ríomhphoist. Aisteach go leor is i ngnátharásán ar imeall na cathrach atá ár gcairde, más féidir sin a thabhairt ar dhúnmharfóirí.'

'Beidh orainn labhairt leis na húdaráis,' arsa Wayne.

'Ná déan! Beidh siad in amhras fúinne láithreach. Cuimhnigh air go bhfuil Séamus tar éis coir ollmhór a dhéanamh sa chathair seo fiú mura raibh a fhios aige cad a bhí ar bun aige. Ní bheimid ábalta a chruthú go deo nach raibh sé ciontach,' a d'fhreagair Jane. 'Tá mo chairde ag faire ar an árasán sin faoi láthair agus beidh tuairisc acu dúinn go luath. Níor chóir dúinn a dhath a dhéanamh anois ach cabhrú le Séamus aghaidh a thabhairt ar a bhfuil tarlaithe dó. A Chonaill, ar aghaidh leat agus tabhair Síle ar ais anseo. Tabharfaidh duine de na fir óga anseo síob duit.'

16.

Nuair a bhí gach duine le chéile arís agus deis ag Síle agus Séamus labhairt le chéile bhí cruinniú acu le cairde Jane.

'Seo mar atá,' arsa Jane nuair a bhí a dtuairisc tugtha ag a cairde. 'Níl san árasán ach bean agus a mac atá cúig bliana déag d'aois. Níl aon rud neamhghnách faoin máthair ach is buachaill sármheabhrach an mac, Wang Yu. Tá sé ag freastal ar an ollscoil cheana féin mar go raibh sé i bhfad chun cinn ar dhaltaí eile dá aois. Tá Béarla ar a thoil aige mar a bhíonn ag go leor den mheánaicme anseo ach tá fadhbanna pearsanachta aige agus is annamh a fhreastalaíonn sé ar léachtanna. Déanann sé a chuid staidéir sa bhaile agus cuireann sé a chuid aistí chun na hollscoile ar an idirlíon. Níl cairde ar bith aige. Ní fhágann sé an t-árasán ach go hannamh.

Anois, bhí muid ag súil le dream cumhachtach mailíseach a bheith ar chúl seo uilig, ach d'admhódh Séamus agus Wayne gur féidir le duine sách oilte a leithéid seo a dhéanamh ach an trealamh ceart a bheith aige agus teacht a bheith aige ar an ngréasán domhanda. D'fhéadfadh sé gur buachaill míshásta atá taobh thiar de seo uilig, gur chum sé an clár AMANDA agus nach dtuigeann sé an dochar atá á dhéanamh aige'.

Cheartaigh Séamus í go borb.

'Tuigeann sé go maith má threoraigh sé mise chun an Coirnéal Kim a mharú. Tá drochbhraon sa ghasúr sin, deirim libh, agus ní mór dúinn a bheith an-fhaicheallach má táimid le plé leis.'

D'aontaigh gach duine gur ghá an fhianaise faoi AMANDA a bhailiú agus chuaigh siad ag triall ar an árasán. D'fhan siad as amharc fhad is a bhí cairde Jane ag cinntiú nach raibh aon duine sa bhaile. Thug Conall leis mioncheamara físe chun gach rud a thaifeadadh mar fhianaise. D'éirigh le Síle an doras a oscailt le cárta creidmheasa, cleas a d'fhoghlaim sí ó Gharda uair amháin nuair a d'fhág sí na heochracha sa teach trí thimpist.

Árasán beag suarach a bhí ann i gcomórtas lena leithéid in Éirinn ach b'eol do Chonall agus do Jane, a raibh tamall caite acu anois san oirthear, gur lú an spás a theastaíonn ó mhuintir na hÁise ná ó Eorpaigh. Cistin bheag agus dhá sheomra a bhí mór go leor ar éigean do na leapacha a bhí iontu. I gceann acu bhí trealamh ríomhaireachta ceangailte le chéile le tranglam de shreangáin agus scáileán mór LCD a chosnódh na mílte punt san Eoraip. Chuaigh Séamus agus Wayne ag obair láithreach ar na ríomhairí. Ar an mballa os cionn na leapa bhí póstaer de chailín órga as California.

'Sin í Amanda is dócha,' arsa Conall. Las siad an ríomhaire. Ní raibh moill ar bith orthu teacht ar na comhaid AMANDA agus iad a chóipeáil isteach ina ríomhairí féin. Bhí an fhianaise ar fad acu anois ach d'fhág siad an t-árasán mar a fuair siad é ionas nach mbeadh amhras ar an ógánach. Rinne siad cinnte de go raibh cairde Jane ag faire na háite agus ar ais leis an gcúigear acu go dtí an teach cois teorann.

Chuir na sonraí a bhí bailithe acu alltacht agus iontas orthu. Sé mhí roimhe sin a chum an buachaill an clár AMANDA agus dhírigh sé ar chúpla duine ar an idirlíon é. Phioc sé an Chóiré le diabhlaíocht mar gur theastaigh uaidh a fháil amach cé mhéid ainrialach a d'fhéadfadh sé a chruthú i dtír i bhfad i gcéin. Bhí suimeanna dochreidte airgid aige i gcuntais bhainc ar fud an domhain, maoin a bhí tógtha as cuntais eile i ngan fhios. Bhain sé an-sásamh as na cinnlínte nuachta faoin míthreoir a tháinig ar na póilíní, ach ní raibh sé ag súil go mbeadh a gceannaire róghlic chun dul faoi thionchar AMANDA é féin. Ba ghá an té nach bhféadfaí a smachtú a ruaigeadh agus bhí gléas cumtha aige a bhí an-éifeachtach dar leis chun sin a dhéanamh, ginteoir fuaime a d'fhéadfadh aon duine a bheadh laistigh de thrí mhéadar de theileafón a mharú ach glaoch ar an uimhir. Roghnaigh sé Séamus as cúigear nó seisear, a raibh leathanaigh spéisiúla acu ar an ngréasán inar phléigh siad forbairtí ríomhaireachta agus cúrsaí cumarsáide.

Chuir sé cúpla ceann de na boscaí tollfhuaime le chéile agus sheol ceann acu go hÉirinn mar ar threoraigh sé do Shéamus é a bhailiú roimh dul ar an eitleán. Chum sé an t-innealtóir ríomhaireachta Bodkin agus chuir a chuid sonraí ar fáil do na póilíní ionas nach mbeadh aon bhac ar Shéamus nuair a thaispeán sé a phas bréige ag an aerfort. Do lucht slándála na n-aerfort bhí an chuma ar an mbosca nach raibh ann ach uirlis íogair chun fadhbanna ríomhaireachta a réiteach agus ní raibh aon deacracht ag Séamus é a bhreith isteach sa stát leis. Ach i gcás go raibh amhras ann bheadh an chuma ar an scéal gur as an taobh amuigh a bhíothas á thabhairt isteach go Singeapór.

'Nach glic an buachaill é seo,' arsa Conall. 'Tá an t-eolas againn anois a chiontóidh é agus a bhainfidh an t-amhras dínne.' An chéad rud eile tháinig scéala isteach chucu go raibh an lead óg ar ais san árasán agus cuireadh glaoch ar na póilíní. 'Seo linn arís,' arsa Jane. 'Caithfidh muid críoch

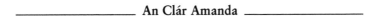

an scéil a fheiceáil agus a thaifeadadh.' Ar ais leo go dtí an t-árasán.

17.

Bhí beirt phóilín ag dul isteach sa bhloc árasáin nuair a shroich siad an áit. 'Déanaimis deifir,' arsa Jane, 'nó caillfimid an t-aicsean.'

Dheifrigh Conall lena cheamara agus d'éirigh leis dul isteach san ardaitheoir i dteannta na bpóilíní. Thosaigh sé ag taifeadadh na bpóilíní agus iad ag dul in airde ach chuir siad stop leis go grod. Ní raibh spás ann don chuid eile é a leanúint. Bhain Conall agus an bheirt phóilíní an doras amach le chéile. Bhí guaillí na bpóilíní leis an doras chun briseadh isteach nuair a d'éirigh an dordán láidir laistigh. Cuireadh fonn múisce ar Chonall agus ar na póilíní agus ní raibh siad in ann tada a dhéanamh ach cromadh leis an bpian ina ngoile ar feadh leathnóiméid. Níor mhair an torann ach cúpla soicind ach bhí a mhacalla ina gcluasa go fóill nuair a bhí sé ar a gcumas an doras a bhriseadh. Bhí siad rómhall le tada a dhéanamh. Chuaigh siad díreach chuid seomra Yu. Bhí an t-ógánach Síneach caite ar an urlár sa seomra leapa, fuil ag rith as a chluasa agus gléas tollfhuaime tithe as a láimh.

'D'úsáid sé air féin é,' arsa duine de na póilíní.

Dheimhnigh sé go raibh an déagóir marbh agus thóg amach a raidió chun tuairisc a chur go dtí a cheannáras.

'D'aithin sé go raibh a ríomhaire scrúdaithe againn,' arsa Conall agus masmas air i gcónaí. Bhí an chuid eile ag plódú isteach sa seomra ach d'ordaigh na póilíní dóibh imeacht leo.

'Caithfimid an áit seo a chaomhnú do na saineolaithe dlí,' ar oififeach sinsearach leo. 'Go raibh maith agaibh as ucht na cabhrach a thug sibh dúinn. Beimid i dteangmháil libh go luath.'

18.

'Cad a dhéanfaimid anois?' arsa Conall. Bhí siad ag cur fúthu san Hilton arís agus teannas na laethanta déanacha curtha díobh acu.

'Tá súil agam gur choinnigh na póilíní a ngeallúint agus go bhfuil an clár AMANDA scriosta acu,' arsa Séamus. 'Níor mhaith liom go mbeadh aon duine eile sa chás ina raibh mise.'

'Agus póilíní Chóiré,' arsa Wayne. 'Ná dearmad go raibh leagan éigin den chlár ina chuid ríomhaire ag an gCoirnéal Kim. Tá mise ag dul abhaile ar aon chaoi. Ar mhaith le duine ar bith eile agaibh cuairt a thabhairt ar Darwin?'

'Tá saoire ag teastáil uainne ina dhiaidh seo, nach bhfuil a Shéamuis?' arsa Síle.

'Tá cinnte,' a d'fhreagair Séamus. 'Deir Síle liom go bhfuil slám maith airgid agam i scaireanna ar fud an domhain faoi láthair. Ní miste leas a bhaint as! Faraor nach mbeidh mé ábalta úsáid a bhaint as AMANDA chun cur le mo shaibhreas níos mó!'

'Tá cóip de agamsa i gcónaí,' arsa Wayne. 'Tá sé i gceist agam anailís a dhéanamh air. Dá dteastódh uait —'

'Níl tú i ndáiríre, an bhfuil?'

'Níl. Ach dá dtosófaí á úsáid arís ar an

ngréasán bheadh sé áisiúil dom go mbeadh cóip agam chun dul i ngleic le haon ghealt eile a bheadh ag iarraidh an domhan a chur faoi smacht.'

'Sílim féin gur cheart dom saoire a thógáil chomh maith agus mo thír dhúchais a fheiceáil' arsa Jane. 'Cad déarfá a Chonaill?'

'Ní dóigh liom go bhfuil an scéal seo thart go fóill,' a d'fhreagair seisean. 'Cá bhfios nach bhfuil comharba Kim ag úsáid AMANDA ar na póilíní cheana féin? Tá mise ag filleadh ar mo chuid oibre. Bainigí uilig sult as bhúr laethanta saoire ach beidh mo thicéad fillte as Seoul á úsáid agamsa.'